Diário de Aventuras da Ellie

Um Novo Presidente

Diário de Aventuras da ELLIE

Um Novo Presidente

ESCRITO E ILUSTRADO POR
Ruth McNally Barshaw

Ciranda Cultural

Para todos os que se arriscam, os que jogam limpo e os que não desistem quando encontram dificuldades.

Dados Internacionais de Catalogação na Publicação (CIP)
(Câmara Brasileira do Livro, SP, Brasil)

Barshaw, Ruth McNally
Diário de aventuras da Ellie : Um novo presidente / escrito e ilustrado por Ruth McNally Barshaw ; [tradução Ciranda Cultural]. -- Barueri : Ciranda Cultural, 2015.

Título original: The Ellie McDoodle diaries : Ellie for president.

ISBN 978-85-380-6093-2

1. Contos - Literatura juvenil I. Título.

14-11721 CDD-028.5

Índices para catálogo sistemático:
1. Contos : Literatura juvenil 028.5

Publicado pela primeira vez nos Estados Unidos
em setembro de 2014 por Bloomsbury Children's Books.

Design de capa: Yelena Safronova

1ª Edição em 2015
6ª Impressão em 2021
www.cirandacultural.com.br

Festa de aniversário do vovô George: hora de comemorar a loucura que torna minha família tão divertida. O vovô adorou cada momento da festa, até a música que meu primo inventou:

Parabéns pra você, ser feliz é preciso!

Penso em um peixe-bruxa quando vejo seu sorriso!

Depois, fizemos várias piadas:

O vovô piscou pra mim, respirou fundo e apagou todas as velinhas.

O Ben-Ben ajudou.

Eca.

Pra ser mais engraçado, a gente usou velas que reacendem. Então, a vovó Joan deu uma faca pro vovô cortar o bolo e...

Não era um bolo! Era uma assadeira de bolo enfeitada com cobertura. Demos muita risada. Minha mãe enganou a gente direitinho. Depois, ela voltou com o bolo de verdade, bem mais fácil de cortar.

Eu desenhei a cena do bolo neste livro e dei de presente de aniversário pro vovô.

Então, enquanto todos olhavam, dei uma aula de arte para os meus primos.

Pouco tempo depois, desenhamos vários dragões apagando velas de aniversário.

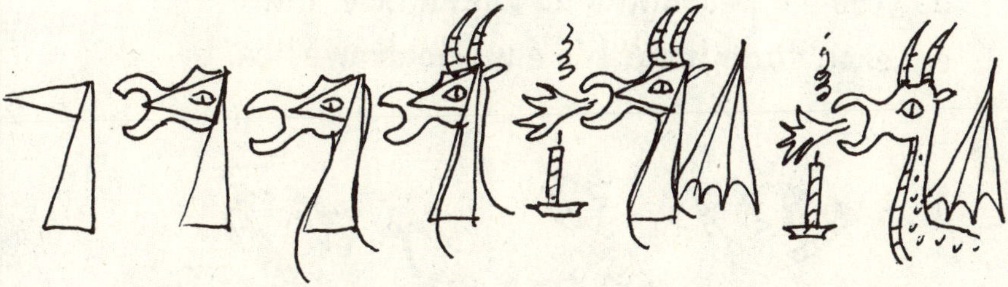

Minha mãe disse que a gente precisava ir pra casa, porque temos aula amanhã, mas todos queriam desenhar mais. Então, o vovô teve uma ideia:

Então, foi um festival de abraços e nós fomos pra casa.

No dia seguinte, a Mo praticamente contou pra todos na escola sobre a festa de aniversário do vovô e a pegadinha da minha mãe. Ela encenou tudinho. A Mo é muito dramática.

Agora, TODOS queriam ver meu diário. Parte de mim adorou isso, mas outra parte ficou com vontade de vomitar. Eu não gosto TANTO de ser o centro das atenções.

Depois, claro que o pior aconteceu. Alguém pegou meu diário e saiu correndo!!!

Ei, mas peraí! Eu...
Eu senti meu rosto ficando quente e vermelho.
Devolvam!
O que é um peixe-bruxa? Que nojo!
Então, alguém pegou o diário da mão dele. Ufa!
Shane, isso não é legal!
Ele entregou o diário pra mim. É o Jake. O sinal tocou.

Na aula de Inglês da professora Whittam, recebi um monte de bilhetinhos.

Para Ellie: Que pena que o Shane pegou seu diário. Ele é assim mesmo, gosta de brincadeiras bobas. – Jake

Todos amam seus desenhos! Muito bom! – Dalton

O Jake é um herói! ♡ Mo

Eu ♡ sua arte.
♡ Yasmin

A gente precisa dar um jeito de publicar seus desenhos. – Travis

Você viu como o Jake olhou pra você quando ele devolveu seu diário? – Sitka

Respondi pro Travis em língua de sinais: eu não sou tão boa assim!

Ops. A professora Whittam estava olhando. Ela entende língua de sinais. Escondi meus bilhetes e meus dedos.

A aula de Ciências do professor Brendall hoje parecia mais uma aula de Artes. Desenhamos borboletas, depois pintamos os desenhos combinando com algum item das paredes da sala: cartazes, avisos, qualquer coisa.

Era uma aula sobre camuflagem: como as borboletas se adaptam ao ambiente? Isso me fez pensar, é melhor se adaptar ou chamar atenção?

O Dalton, a Mo, o Travis, a Yasmin, a Sitka e eu somos os CÃES, o Conjunto dos Amigos Extremamente Sábios (o mesmo que inteligentes). Hoje, a gente se reuniu na minha casa depois da aula pra passar o tempo. Eu desenhei, como sempre.

A Lisa estava espiando.

Ops.
Tá.
Ok.

Minha mãe aceitou, com duas condições:

1. Ela tinha que ver as postagens e ler todos os comentários antes de serem publicados.

2. Esse projeto não podia interferir nas tarefas da escola.

Fiz meu primeiro desenho pra publicar no blog.

Meu vô vai adorar isso. Acho que meus primos e amigos também vão. Eu não vou publicar no blog um desenho sobre o Jake resgatando meu diário. Isso é <u>pessoal</u> demais! O mundo inteiro pode ver o que está na internet. Não vou compartilhar minha vida pessoal.

Desenhei algumas técnicas de arte...

... e minha mãe aprovou.

Então, escaneamos os desenhos e publicamos no blog.

Minha arte foi publicada!!!

Enviei o link do blog pro meu vô. Um minuto depois, ele me ligou e mandou e-mail ao mesmo tempo.

Ellie! Que maravilha!
Sua arte e seu texto são um dom.
Use-o com sabedoria.

Enquanto eu conversava com meu vô, minha mãe aprovou dois comentários do blog. Ele já tinha compartilhado o link com o resto da família. Que DEMAIS! É uma exposição de arte no meu computador.

Comecei a ver o mundo de outra forma. A cada coisa que eu via, eu imaginava: será que posso colocar no meu blog?

Os CÃES foram embora na hora do jantar e me senti mal por ter ficado feliz, porque isso significava que eu ia desenhar.

Depois que minha mãe aprovou o conteúdo, coloquei o desenho no blog. Ding! Ela aprovou um comentário fofo da vovó Joan. Adoro receber comentários!

No dia seguinte, a professora Whittam falou sobre a história da comunicação.

— O modo como falamos com os outros pode ser a primeira coisa a mudar para podermos nos adaptar às necessidades da sociedade. Pensem nas primeiras pinturas rupestres, histórias de acampamento, mensageiros ambulantes, mensageiros a cavalo, mídia impressa, telégrafo, telefone, correio, rádio, satélite, e-mail, mensagem de texto... E isso vai continuar evoluindo. Em pouco tempo, as mensagens de texto serão antiquadas. Os blogs estão tomando o lugar dos boletins impressos.

A Mo falou do meu blog pra professora Whittam.
A professora quis ver a página, então abrimos no computador da sala.

Agora, todos querem ter um blog.
O Dalton ensinou a gente a fazer.

— Primeiro, peçam permissão aos familiares! Se eles concordarem, vocês podem fazer um blog. Quem enviar o link do blog pra mim vai ganhar ponto positivo!

E ela acrescentou:

— No começo, o blog de vocês não vai ter muitos comentários. A Ellie tem uma família muito grande, muitas pessoas apoiam o trabalho dela.

Na hora do almoço, os CÃES conversaram sobre blogs.

A gente podia usar o dinheiro pra construir brinquedos melhores no parquinho da escola.
O parquinho está horrível!
Não é seguro. Minha mãe nem traz meu irmãozinho pra brincar.
Nós temos o poder de mudar isso!
Mas a gente teria que vender MUITAS revistas.
Parece que é impossível.
A gente consegue!!!

Eu nem respondi, porque já estava desenhando.

Eu nem liguei. Esse é meu melhor desenho. Todos vão ver, e quero que eles riam.

Depois da aula, a Yasmin levou os CÃES até a sala do professor Brendall pra ajudar a limpar as gaiolas dos bichinhos.

Eu abraçando um degu, um roedor do Chile.

Deixei os ermitões usarem minhas mãos como esteira.

Enquanto a gente limpava, mostramos nosso projeto pro professor: quatro páginas cheias de coisas interessantes dos CÃES. Ele disse que era uma revista literária, depois mostrou pra gente a revista que ele fez com os amigos dele na época da faculdade.

Pra agradecer pela ajuda com as gaiolas, o professor Brendall se ofereceu pra tirar 50 cópias da nossa revista.

O Dalton brincou:

— Vamos vender cada uma por mil dólares! A gente vai ficar rico!

Todos riram. Ninguém pagaria tanto.

Fiquei meio preocupada. Todos gostaram da minha arte, mas não sei se eles amaram minha arte. Juro que a Mo consegue ler minha mente.

Mo: Está bom, está melhor que bom. Sua arte é fantástica, fantabulosa, frutavilhosa!

Eu: Hum, frutavilhosa?

Mo: É uma palavra que eu inventei. Significa adoçado com maravilha.

Tá legal. Minha arte é frutavilhosa.

Na manhã seguinte, descobri que eu não tinha motivo pra me preocupar. A revista esgotou em cinco minutos. TODOS acharam minha caricatura engraçada.

O Travis, a Mo e eu pedimos pra professora Trebuchet tirar algumas cópias pra gente.

Ela fez uma cara feia quando ficou sabendo que a gente queria vender as cópias.

Não tenho orgulho disso, mas a gente implorou.

Então, ela fez mais 150 cópias. E acredite se quiser: VENDEMOS TUDINHO! Nossos planos pra fazer um parquinho novo estão dando certo, de 25 em 25 centavos! Vai demorar um pouco, mas vai valer a pena.

Fiz uma lista de palavras que ouvi das pessoas que descreveram a revista:

demais 𝍸 𝍸 𝍸

legal 𝍸 𝍸 𝍸 |||

incrível ||||

boa 𝍸 𝍸 |||

bonita 𝍸 ||

ótima |

épica |||

estupenda |

bizarra |

divertida 𝍸 |||

criativa |

hilária ||

engraçada 𝍸 𝍸

super-megalegal 𝍸 𝍸 |

oblíqua |
(espera aí, o que significa isso?)

frutavilhosa |
(Mo)

um deleite de sentidos com aroma suave |
(alguém que deve ter visto muitos comerciais)

Parecia que eu podia voar! Mas essa alegria toda durou só sete minutos e meio. Assim que entrei na aula de Ciências do professor Brendall, ouvi a voz da diretora Pingo no alto-falante.

Professor Brendall, por favor, mande a Ellie Rabisco para a minha sala. Preciso falar com ela.

Todos olharam pra mim.

Será que era encrenca mesmo?

Entrei em pânico. Fui pra sala da diretora pela escada dos fundos. Era o caminho mais longo.

A diretora Pingo estava sorrindo. Vi que a revista estava na mesa dela. Senti que eu era uma mosca, e ela, uma aranha. Ela começou a tecer sua teia.

— Fiquei feliz de saber que vocês criaram um jornal para a escola. Algumas partes estão muito boas.

— Acho que os alunos gostariam de ler mais.

— É. E o professor Z, do sexto ano, concordou em ajudar.

O professor Z levantou e quase encostou a cabeça no teto. Fiquei sem graça por não ter percebido antes que ele estava ali.

Oi, Ellie. Vamos começar um grupo do jornal da escola e você pode ser a editora-chefe e ilustradora. Nossa primeira reunião será hoje depois da aula. Leve seus amigos.

— Perfeito, professor Z. Você verá que a Ellie é muito dedicada e *sempre* segue as regras.

Ela me olhou feio. Eu arrepiei. E nem estava frio.

— Não é mesmo, Ellie?

Hum... claro.

É um prazer.

Carácolis! O que aconteceu? Será que está tudo bem? Como eu me sinto com isso?

Sei lá.

Voltei pra aula de Ciências e perguntei para os CÃES o que eles achavam do professor Z e da ideia do jornal. Fiquei surpresa ao ver que eles tinham gostado.

Os CÃES e alguns outros amigos foram comigo pra reunião com o professor Z depois da aula. Éramos 30 crianças do quinto, sexto e sétimo ano. Uau, a ideia se espalhou rápido!

Ele me apresentou como editora-chefe.

Cada um dos CÃES ficou responsável por alguma coisa. Agora sei por que todos gostam tanto do professor Z. Eu sou responsável pelas entrevistas e também por fazer algumas ilustrações sobre a vida na escola Martin Luther King Jr.

O professor Z deu uma tarefa pra cada um de nós pra primeira publicação. Meu trabalho é entrevistar a diretora Pingo. Estou um pouco nervosa. Não, corrigindo. Estou MUITO nervosa. Acho melhor eu falar pra ela que eu não pretendo fazer uma caricatura dela.

À noite, em casa, comecei a planejar a entrevista com a diretora. Minha família tentou ajudar. Mas, ahn, eles não ajudaram em quase nada.

Lisa: Pergunte qual creme de cabelo ela usa.

Mãe: Pergunte como era a vida dela quando ela era criança.

Eu: Eu não quero que ela lembre do meu desenho.

Josh: Pergunte isto: você <u>nunca</u> teve senso de humor ou você o perdeu quando virou diretora?

Eu: Obrigada.

A hora do jantar chegou rápido. A Lisa sugeriu que a gente votasse: comprar comida ou ir a um restaurante. Meu pai vetou a opção do restaurante. Ele ia sair pra comprar comida porque o Ben-Ben estava mais macaquinho que o normal.

O Josh disse uma coisa nojenta: o que é mais nojento, um peixe-bruxa ou um filhote de fulmar?

Eu: O que é um fulmar?

Josh: É tipo uma gaivota.

Eu: Ei! Mas a gaivota não é nojenta. É fofa.

Josh: O peixe-bruxa se cobre de lodo pra escapar dos predadores. Depois, ele dá um nó em si mesmo pra limpar o lodo. O filhote de fulmar vomita nos predadores.

Eu: Perdi a fome.

Lisa: Se eu vomitar com a conversa de vocês, vai ser mais nojento que um peixe-bruxa?

Josh: Só vamos saber se você vomitar mesmo.

Eu decidi ir com meu pai, e eles ficaram em casa. Outra coisa: eca!

Voltamos do restaurante e tivemos uma surpresa. Eu estava indo até a mesa e senti uma coisa assustadora passar por mim. Não era humana.

O Josh e a Lisa enfeitaram uma das estátuas de Papai Noel da minha mãe (na verdade, era a Mamãe Noel) e colocaram rodinhas nela.

Mamãe Noel normal

Mamãe Noel vestida de diretora Pingo

Fiquei apavorada. Todos riram do meu grito.

Todos os meus amigos acham que minha família é doida por causa das nossas pegadinhas com a Mamãe Noel. (Eles têm razão. Somos doidos MESMO. É uma tradição esquisita.)

Acho que vou ter pesadelos com a Mamãe Noel vestida de diretora Pingo.

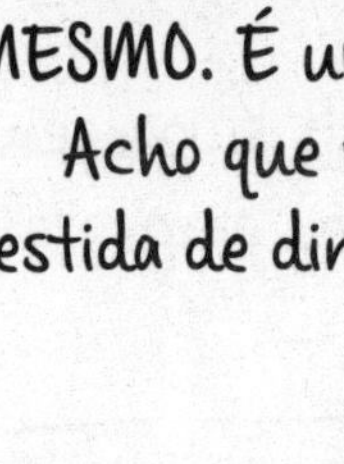

Todos pularam pra pegar a comida.

Ufa. Chega de agitação.

Jantar. Hora de dormir. Boa noite.

controle remoto

Ontem à noite, li no meu biscoito da sorte: "É preciso sofrer o fracasso para aproveitar o sucesso". Um pensamento muito animador.

A caminho da minha entrevista com a diretora Pingo, pensei mais em fracasso do que em qualquer outra coisa. Mesmo assim, deu tudo certo na entrevista. Comecei com perguntas fáceis pra ela ficar animada.

– O que mais surpreende a senhora no seu emprego?

Na hora, eu imaginei a diretora Pingo usando uma pilha de chapéus engraçados.

Ela mencionou um zilhão de tarefas e finalizou falando sobre o conselho estudantil. Eu nunca tinha ouvido falar nisso, então perguntei quais eram os planos dela.

Ela: Em breve, vou anunciar as eleições para presidente de classe no quinto, sexto e sétimo ano.

Eu: Opa! Se eu escrever com cuidado, a senhora pode anunciar as eleições no jornal em vez de anunciar no alto-falante?

Ela: Hum, certo, mas só se vocês publicarem o jornal <u>amanhã</u>.

Eu: Acho que chega por hoje! Obrigada!

Assim que a entrevista acabou, interrompi a aula do professor Z. Eu tinha que dar a notícia das eleições.

Ele: MARAVILHA! Que notícia ótima!
É um furo! Peça para os alunos se reunirem na biblioteca depois da aula. Teremos muito trabalho para publicar a primeira edição amanhã. Você acha que conseguiremos?

Quando voltei pra aula, o professor Brendall me deixou anunciar o prazo de entrega do nosso jornal.

A Mo entrou em ação: — Vou tirar fotos dos animais da sala, depois podemos fazer um concurso de legendas engraçadas pra elas!

A Sitka já tinha uma página inteirinha de poesias pro jornal.

Tudo o que criamos pra revista pode ser usado no nosso jornal. Além disso, muitas outras crianças querem fazer contribuições. Vai ser uma edição cheia de novidades!

Quando nos encontramos com o professor Z na biblioteca, eu contei toda animada que a gente já tinha planejado o jornal todo e ainda tinha material extra pra edição seguinte.

O professor Z deu uma aula rápida de como escrever artigos e colocar fotos, desenhos e textos em uma página de modo que a leitura seja fácil.

Ele disse:

- Primeiro, digam o mais importante: quem, o que, por que, quando, onde, como.
- Se vocês tiverem uma ideia boa, coloquem em prática. Não esperem.
- Façam anotações muito boas.
- Cortem o que for desnecessário.

Mais um trabalho pra mim: fazer a arte do cabeçalho do jornal.

Votamos em uma lista de nomes:

Diário do Rei, Que a Liberdade Reine, O Sonho, O Furo do Reino, Notícias do Rei...

A ideia da Débora foi a vencedora.

Depois de criarmos um nome, todos se amontoaram e uniram as mãos no meio da roda.

O professor Z disse: Excelência!

E a gente repetiu: EXCELÊNCIA!!!

Ele disse que a gente vai fazer isso mais vezes, mas com palavras diferentes:

— Jornalistas precisam usar várias palavras chamativas.

Muitos amigos meus estavam lá. Fiquei feliz quando vi o Jake.

Antes de irmos pra casa, eu e os CÃES nos encontramos no pátio, perto do leão, o lugar de sempre.

Carácolis. Eu não sirvo pra ser presidente de classe.

Na hora do jantar, eu estava na minha, rindo das piadas do Josh e da Lisa, quando meu pai disse:

Tá legal. Inventei um jogo, o Avança Rabisco.

O material: uma bola de esponja, um ventilador, muitas perguntas e três dados.

Eu fiz as peças do jogo com fotos e argila.

Cada vez que alguém marca um ponto, o Ben--Ben pode dar uma cambalhota e correr pela sala.

Pra ganhar pontos extras, o Josh tem que fazer uma rima sobre o esporte que meu pai escolher. Ela tem que ter uma cor escolhida pela minha mãe e um desafio para a Lisa.

Eu fui a líder do jogo. Depois de três rodadas cansativas, a Lisa disse que eu era "uma líder incrivelmente boa".

No dia seguinte, a gente estava ansioso pra ver o que as pessoas achariam do nosso jornal.

O jornal era muito mais importante que a nossa revista. A diretora Pingo até falou dele nos anúncios matinais. A escola inteira ia ler. E muitas pessoas trabalharam nisso.

— Aqueles que fizeram o jornal O Rugido do Leão poderiam se levantar, por favor? — a professora Whittam disse.

Um MONTE de gente levantou, tipo, metade da sala!

A outra metade aplaudiu. Tenho que admitir, é muito bom ser tratada como uma estrela do rock.

Na aula de História, estudamos a história das eleições e da imprensa.

Hum. Eu não sou preguiça, rato nem coelho.

Eu sou um camaleão: consigo me adaptar a qualquer lugar.

Desenhei minha família:

A professora Whittam perguntou o que a gente achava das eleições de classe:

— Acho que todos vocês deveriam pensar em se candidatar. Como vocês poderiam melhorar a escola se vencessem? Que mudanças vocês sugeririam?

Alguns alunos responderam em voz alta, eu fiquei pensando.

Depois, cada um de nós fez um cartaz pra ver como seria se concorrêssemos a presidente.

Meu cartaz:

Os CÃES tentaram me convencer.

Eu pensei bastante. Analisei a situação várias vezes. Finalmente, coloquei meu nome na urna. Os CÃES adoraram!

A notícia se espalhou tão RÁPIDO quanto a tinta preta à prova d'água da minha mãe que o Ben-Ben derramou no tapete amarelo (isso foi no mês passado).

Há muitos candidatos a vice-presidente, secretário e tesoureiro.

Para presidente, há quatro:

Candidata nº 1: Cátia

- Sempre deixa os outros entrarem na sua frente na fila
- Sempre tira 9 e 10
- É muito boa em Ciências
- Enfrenta os valentões
- É honesta
- É uma ótima dançarina

Melhor amiga: Sofia

Candidato nº 2: Shane

- É um brincalhão
- É leal ao Jake
- É legal com a irmã mais nova. Ontem ela caiu na rua e ele a carregou no colo e levou todas as coisas dela embora.

Ele vive fazendo esta pose. Não sei por quê.

Melhor amigo: Jake

Candidato nº 3: Jake

- Tem olhos castanhos penetrantes
- Cuida bem dos animais da classe
- Conta piadas engraçadas
- Tem o sorriso mais lindo de todos
- Joga beisebol, futebol e basquete
- Escreve muito bem
- É tipo um herói

Melhor amigo: Shane

Candidata nº 4: Eu

O que eu espero que os outros pensem:

- É ~~uma boa~~ a melhor artista
- É boa em ter ideias novas
- Sorri pra muita gente todos os dias
- Tenta ser corajosa
- Sempre se esforça pra tirar boas notas
- É criativa

Melhor amiga: a melhor do mundo, a incrível Mo

O que eu espero que os outros não pensem:

- Não é confiante
- É uma boa artista, mas nem tanto
- É atrapalhada
- É meio nerd. Ou geek?
- Meio que gosta do Jake. Será que alguém mais percebeu?
- Tem uma família doida

O Travis fingiu que estava sendo mordido pela estátua do leão e eu caí na gargalhada. Ah, outra coisa: os CÃES são frutavilhosos.

Em casa, a minha família me deu vários conselhos. Alguns até que eram bons.

Mãe: Seja você mesma. Seja a melhor que VOCÊ puder ser.

Pai: A questão não é ganhar ou perder.

Lisa: Precisamos fazer uma transformação. Temos que mudar só algumas coisas em você:

- o cabelo
- os óculos
- as roupas
- a personalidade
- o jeito que você anda
- o jeito que você fala

Eu: Que lista! Então, você não tem nenhuma reclamação sobre as minhas unhas sem graça do pé?

Lisa: Ellie, bobinha. A gente vai resolver o problema das suas unhas depois. Temos coisas mais importantes pra mudar.

Josh: Você tem que fazer uma promessa grande, a melhor que puder imaginar. Depois, você descobre como cumprir.

Eu: Não seria trapaça?

Josh: Ah, e diga coisas ruins sobre os outros candidatos. Junte muito dinheiro pra seus fundos de guerra.

Eu: O que são fundos de guerra?

Josh: É o dinheiro que doam pro seu adversário ficar com medo de concorrer contra você.

Eu: Se alguém me doar dinheiro, vou usar pra arrumar o parquinho.

Josh: Ou você podia me dar o dinheiro pra eu gastar com cartazes que vão fazer você parecer melhor do que é.

Eu: Você faz a política parecer tão desagradável.

Josh: Todo político mente. Faz parte do jogo.

Pai: Alto lá, campeão! Eu conheço pelo menos uma política honesta e ética: a senadora Shepard.

Josh: Como você sabe que a senadora Shepard é honesta?

Pai: Eu acompanhei a carreira dela de perto. A gente se conhece desde que ela era criança. Ela morava na rua de baixo e era melhor amiga da minha irmã.

Eu: Peraí, você conhece uma senadora?

Pai: Sim. E você vai ter a chance de conhecê-la na semana que vem, ela vai fazer um discurso para os moradores da cidade. Se quiser, você pode ir e levar seus amigos.

Eu: CLARO!!!

Espero que eu consiga um tempinho a sós com a senadora Shepard. Acho que ela pode me dizer coisas interessantes.

O Ben-Ben também tinha um conselho pra mim. Ele me ensinou a fazer a "corrida" presidencial.

Eu desenhei isso e publiquei no meu blog. Ding, ding! Outro comentário de "Ótimo trabalho!" da vovó Joan e do vovô George.

Pra concorrer a presidente de classe, existem regras. Foi o que descobri na aula de segunda-feira da professora Whittam. Cada candidato tem que escrever uma redação de apresentação pra ser publicada no jornal desta semana.

Se eu fosse a Mo, eu saberia o que fazer: uma apresentação com fotos. Acho que eu devia perguntar pra Mo o que ela faria se estivesse no meu lugar. Ou eu posso só continuar desenhando mesmo...

Assim que a aula acabou, o Shane subiu na carteira e leu a redação dele pra todos os alunos.

— Amoras e cenouras, quer dizer, senhoras e senhores, estou muito feliz e honrado de ouvir a mim mesmo.

Vocês e eu precisamos entender que eu tenho um plano! Se eu vencer, vou lançar um programa novo: Diretor por um Dia, e eu vou ser o primeiro.

Nesse dia tão especial, vou criar um programa chamado Superintendente por um Dia, e eu vou ser o primeiro.

Nesse dia, vou começar um programa chamado Prefeito por um Dia, e eu vou ter a honra de ser o primeiro.

No dia em que eu for prefeito, vou criar outro programa, chamado Governador por um Dia. Eu vou ser o primeiro a assumir o cargo.

Quando eu for governador, vou criar um evento chamado Presidente do País por um Dia...

Antes que o Shane chegasse ao programa Imperador do Universo Desconhecido, o sinal tocou e fomos almoçar.

Eu: Meu pai disse que a senadora Shepard vai fazer um discurso na cidade esta semana. Vocês precisam ir também!

Mo: A gente vai e senta junto!

Eu: Meu pai conhece a senadora desde que ela era criança.

Dalton: Sério?

Eu: Ela era a melhor amiga da minha tia, irmã do meu pai. Teve uma vez que eles estavam jogando dardos e ele errou o alvo, e... hum...

Todos: O QUÊ?

Eu: Ah, ele meio que acertou o dardo no dedão do pé dela. Ela foi parar no hospital.

Sitka: Nossa, isso é TERRÍVEL. Aposto que ela odeia seu pai.

Yasmin: Ellie, você TEM que conhecer a senadora. Imagine como essa história seria boa pro nosso jornal!

Travis: Mas, se ela odeia seu pai, a gente vai precisar de um plano B.

Sitka: E de um plano C.

Dalton: Plano B: pousar de parapente em cima do capitólio.

Travis: Plano C: fazer um desenho perfeito dela e publicar no blog.

À tarde, o professor Brendall deu 40 minutos pra cada aluno ler um livro ou escrever alguma coisa pro jornal da escola. Os candidatos a presidente (a Cátia, o Shane, o Jake e eu), vice--presidente, secretário e tesoureiro do sétimo ano tinham que fazer a redação de apresentação.

Esta eleição é uma grande piada pro Shane. Eu fui a única que não riu.

Vi que algumas pessoas escreveram legendas engraçadas pro concurso da Mo.

Mas eu não podia prestar atenção. Precisava fazer minha redação.

Eu <u>TINHA</u> que fazer a redação. Fui ver o que o Jake estava fazendo.

Eu não queria fazer a redação. A Mo me falou pra fazer só um rascunho meia-boca e arrumar depois.

Foi o que eu fiz. E era um rascunho muito, muito meia-boca. Eu diria que era uma cópia malfeita e bem feia.

Eu escrevi, escrevi e escrevi.

No dia seguinte, escrevi e escrevi mais um pouco. E minha redação AINDA estava péssima!

Acho que eu finalmente sei o que há de errado: eu não sou do tipo que faz redações. Então, eu fiz um desenho em vez de escrever. No final do dia, fiquei satisfeita com o resultado.

Então, vi as redações dos outros candidatos em uma caixa na mesa do professor Z.

A do Shane estava em cima.

Fiquei impressionada. A redação dele era boa. Então, refiz a minha.

Transformei o desenho numa redação pra ficar parecida com a dos outros. Também desenhei uma imagem pequena.

Coloquei minha redação na pilha e fui embora.

No caminho de casa, pensei bem. Eu devia ter entregado só meu desenho mesmo. Eu não devia ter lido a redação do Shane. Agora, é tarde demais pra mudar meu texto.

Na manhã seguinte, o professor Z me chamou na sala da professora Whittam pra conversar. Na hora, percebi que ele não ia falar coisas boas sobre os meus desenhos do jornal.

— Infelizmente tenho uma reclamação a fazer sobre a sua candidatura para presidente de classe. Você é editora-chefe do jornal, isso é uma vantagem injusta nas eleições.

— Você vai ter que sair do cargo de editora-chefe até o fim das eleições.

— Você ainda pode enviar textos e desenhos pro jornal, como qualquer outro aluno.

Acho que vou vomitar.

Será que alguém viu que eu li a redação do Shane?

Eu trapaceei?

Eu voto não.

Eu não copiei nenhuma palavra dele.

Mas será que trapaceei? Não sei.

Fui eu quem deu a ideia do jornal. Eu amo ser editora-chefe. Pra começo de conversa, eu nem *queria* concorrer a presidente de classe, *mas agora eu quero*!

A Mo me entregou um bilhetinho:

Meus problemas são grandes demais pra explicar em um bilhetinho.

No corredor, antes do almoço, contei tudo pra Mo.

Eu: Não foi trapaça, foi?

Mo: Os outros candidatos tiveram a chance de ler todas as redações?

Eu: Não.

Mo: Então foi. A sua consciência está pesada porque você SABE que foi trapaça. E se você quiser que eu seja sua gerente de campanha, você não pode mais trapacear. Nunca mais. Promete?

Uau. Ela estava muito séria.

Eu: Tá bom. Prometo. Não vou mais trapacear.

Mo: Ótimo. Agora, vamos VENCER!

Percebi que a vontade de vomitar tinha passado. Eu estava com fome mesmo.

Depois da aula, a Mo foi com os CÃES pra minha casa. A gente conversava enquanto fazia um zilhão de placas. Foi engraçado, mas eu precisava pensar sem os CÃES pra entender em que eu realmente acredito.

Minha família ficou interessada:

Meu pai não era o único visitante. O Josh enviou uma miniatura minha com uma lista de ideias pra minha campanha:

1. Hora oficial do recreio das 8h às 15h.
2. Professores robôs.
3. Notas altas pra todos.
4. Um cachorro treinado pra limpar banheiros.
5. Deixa pra lá, ele já faz isso.
6. Fazer a lição de casa do Josh.
7. As tarefas de casa também.
8. Eu já falei sobre comer todas as couves-de-bruxelas que a mãe coloca no prato dele? Isso também.
9. Qualquer prêmio e benefício, ou seja, qualquer coisa boa, será convertido para o Josh depois de um prazo de carência de três minutos.
10. Este contrato é pessoal e intransferível.

Parecia mais uma lista de exigências. Josh, melhor você levar suas ideias loucas pra outro lugar.

No dia seguinte, os CÃES me ajudaram a colar cartazes na escola inteira antes da aula.

Eu dominei a escola. Mas só por 15 minutos.

Nos anúncios matinais, a diretora Pingo disse que cada candidato podia colocar só QUATRO cartazes. Isso significa que eu tenho uns 30 cartazes a mais.

Será que a senadora Shepard já teve problemas com regras bobas de campanhas? Fiquei pensando.

A Mo me ajudou a tirar os cartazes na hora do almoço. Então, surgiu um ajudante surpresa: o Jake! Ele já tinha tirado seis cartazes da parede pra mim.

Carácolis! Isso nem é uma palavra! Por que meu cérebro para de funcionar perto do Jake? O Josh diria que é a Lei de Murphy: tudo o que pode dar errado vai dar errado. Na minha vida, essa lei tem uma continuação: quando algo está ruim e pode piorar, vai piorar.

O engraçadinho do Shane apareceu e também tentou "ajudar". Ele rasgou um cartaz da minha campanha. O Jake foi falar com ele.

Jake: Ei! Isso não foi NADA legal!
Shane: Mas ela tem um montão!
Jake: A decisão não é sua.
Shane: Oh. Ops. Ah. Foi mal, Ellie.
Eu: Trujiduleignal.

Ahhh!!!

Horas depois, eu estava em casa pensando no Jake. Se eu fosse uma princesa, não ia esperar que alguém me salvasse, nem mesmo um príncipe. Na verdade, eu seria do tipo que salvaria um príncipe. Mesmo assim, tenho que admitir, foi muito legal quando o Jake _me_ salvou. DUAS VEZES!!!

Demorei duas horas pra fazer esse desenho do Jake. Eu desenhei, apaguei, desenhei de novo e de novo. Valeu muito a pena.

Qual a melhor característica do Jake? Não sei. Acho que TUDO NELE. Sem dúvida, ele é o garoto mais legal da escola. Eu diria até que ele é frutavilhoso.

Depois do jantar, fomos até a universidade pro discurso da senadora Shepard. Era basicamente uma sala vazia enorme com um monte de bancos e cadeiras em volta do palanque da senadora e da equipe dela. Meu pai trabalha na universidade, então a gente conseguiu entrar cedo e pegar os melhores lugares. Dava pra ver tudinho.

Tinha câmeras em todo lugar!

Eu já tinha pensado em uma pergunta pra senadora, então fiquei feliz que meu pai deixou a gente sentar perto de um microfone.

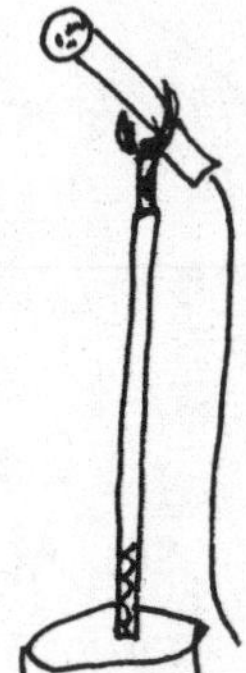

Brinquei de Mais Ação com os CÃES:

Todos sentam formando um círculo. A primeira pessoa faz uma ação. A pessoa do lado repete a ação e cria mais uma. A terceira pessoa repete as duas ações e cria outra...

A brincadeira acaba quando fica impossível lembrar de tudo. A gente sempre ri no final.

Enquanto a gente brincava, a sala enchia. Fiquei contente de ver tantos alunos da minha escola.

O Jake estava lá!!!!!!

O discurso começou. As pessoas tinham que fazer fila atrás dos microfones até que chegasse a sua vez de fazer uma pergunta.

Eu fiquei muito feliz ao ouvir perguntas e respostas curtas. Significa que talvez eu consiga fazer a minha pergunta.

Enfim, chegou a minha vez. Eu estava com um frio na barriga! Engoli em seco. Minha boca estava incrivelmente seca. Todos olhavam pra mim.

Não pense no Jake, não olhe pro Jake.

Eu fechei os olhos. Na hora, eu tinha certeza que eles não iam mais abrir sozinhos. Carácolis! Concentre-se, Ellie. Eu me apresentei e fiz a pergunta:

– Qual a coisa mais difícil em ser senadora? Quero publicar sua resposta no jornal da nossa escola.

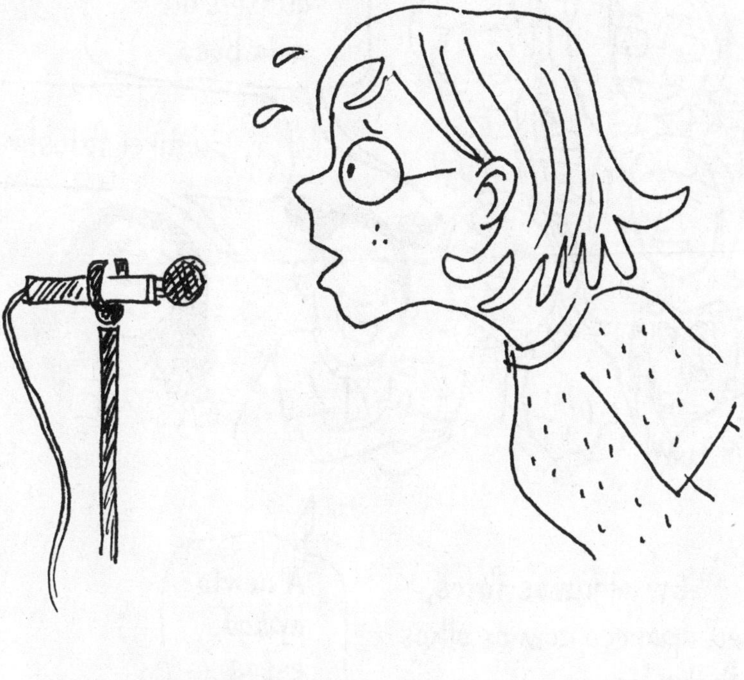

Todos RIRAM! Ei! Não era pra ser engraçado!

A senadora Shepard disse:

— A parte mais difícil é tentar agradar a todos, então eu tento ficar bem informada e faço o que acho melhor.

As pessoas aplaudiram. Eu não vomitei. Voltei pro meu lugar e comemorei com os CÃES.

Em algumas fotos, eu apareço com os olhos fechados.

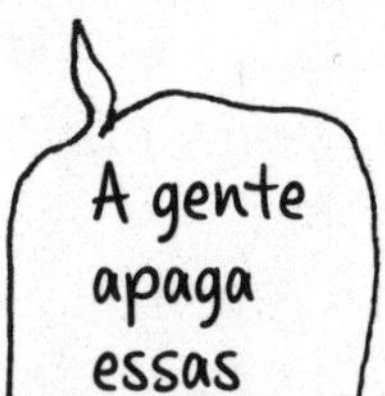

No final do discurso, ficamos um tempão na fila pra conversar pessoalmente com a senadora.

Ela abraçou meu pai, tirou o sapato e mostrou a cicatriz que meu pai deixou no dedão dela. Então, ela deu risada. Ufa!

Ela me perguntou sobre a escola e meus sonhos. Eu mostrei este diário pra ela.

Senadora: Um dia, você pode concorrer a presidente do país.

Eu quase DESMAIEI!!! A Mo me segurou.

Eu: Eu fico nervosa demais pra fazer discursos.

Senadora: A cada vez, fica mais fácil. A prática me deixa mais confiante.

Eu: Vou praticar!

Senadora: Vamos manter contato. Envie seu jornal e o link do seu blog pro meu escritório.

Voltando pra casa, eu não parava de pensar nisso: eu sou amiga de uma SENADORA!

Sexta-feira de manhã, todos estavam com o jornal na mão. Eu revirei o jornal pra procurar minha arte. Nadinha. Não tinha NADA meu nessa edição. Inacreditável!

Achei minha redação. Eles nem publicaram o desenho que eu fiz com uma placa escrito "Vote na Ellie"!

Carácolis! O jornal estava desmoronando sem mim. Todos estavam falando da redação da Cátia. Eu me senti invisível.

Definitivamente, não vou mandar esse jornal pra senadora Shepard. Vou esperar até sair uma edição boa.

Na aula de Inglês, a professora Whittam separou a turma em grupos de debate. Eu e o Jake estávamos em dupla contra a Cátia e o James. A primeira coisa que a gente tinha que fazer era decidir um assunto pra argumentar. A gente argumentou bastante.

Eu sugeri o seguinte: animais extintos deveriam ser clonados?

Usei todas as minhas habilidades pra convencer os outros de que esse era o melhor tema pro nosso grupo. Por sorte, eu não tive problemas pra falar na frente do Jake. Acho que é porque eu queria tirar nota boa, então me concentrei bastante.

Os outros grupos escolheram: "Por que a galinha atravessou a rua?" e "O que veio primeiro: o ovo ou a galinha?". (Não sei por que as pessoas gostam tanto de galinhas.)

Clonar animais extintos me parece uma péssima ideia. Todos sabemos como são os filmes de clones de dinossauros gigantes.

O Jake disse que podia ser divertido defender o contrário daquilo em que acreditamos. Eu concordei, então deixamos a Cátia e o James defender a ideia de que a clonagem de dinossauros deveria ser proibida. O Jake e eu argumentamos que clonar grandes e assustadores dinossauros (e pequenos e fofos também) deveria ser definitivamente permitido.

Vamos precisar de muito tempo pra pensar nisso. O Jake perguntou se eu queria ir com ele pra lanchonete depois da aula.

CLARO!!! Pensei alto. Tá legal, falei alto.

Contei os segundos pra aula acabar. A gente foi embora correndo, depois se encontrou na minha casa. Fomos de bicicleta pra lanchonete, que ficava a uns 5 quilômetros de casa.

A gente concordou em uma coisa: sem animais esquisitos, a terra seria chata. Precisamos trazer os animais extintos de volta, principalmente os esquisitos. Os futuros terráqueos serão gratos a nós. Eles viajarão para o passado e agradecerão a nós, aqui nesta lanchonete.

Também conversamos sobre um milhão de coisas:

Jake: Ah, não importa. Eu vou ganhar.

Eu: Peraí, você acha que vai ganhar de mim?

Jake: Eu sei que vou. Eu conheço mais gente na escola. Você ainda é meio que novata.

Eita. Eu estava começando a pensar que era fácil conversar com o Jake. Depois disso, eu nem sabia o que dizer. Tive que mudar de assunto. Peguei o canudo do meu copo. Pensei rápido.

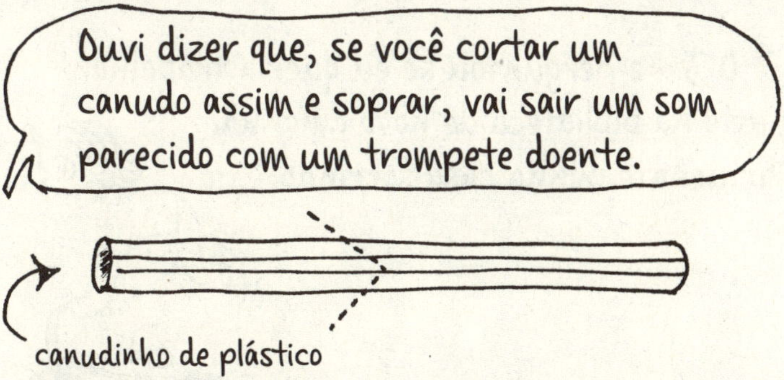

Pegamos uma tesoura emprestada do cara da lanchonete e tentamos.

Jake: Eu vou vencer essa eleição! Os meninos vão votar em mim. Só preciso fazer campanha para as meninas.

Eu: E se os meninos votarem no Shane?

Jake: Você acha mesmo? Ele nem *quer* vencer

Eu: Então por que ele se candidatou?

Jake: Só pra zoar.

Eu: Pra zoar? Que besteira. Tem que trabalhar muito também.

O Jake perguntou se eu queria trabalhar muito na biblioteca de novo amanhã. Flutuei até minha casa sorrindo.

Sábado de manhã demorou muito pra chegar! Depois de ver desenhos animados, fui correndo pra biblioteca. A senhora Claire, a bibliotecária, ficou muito feliz quando nos viu.

Era o jornal da nossa escola.

Droga. Por que ela não estava com uma edição <u>boa</u> do jornal?

O Jake e eu achamos uma mesa no fundo da biblioteca. Nossa primeira tarefa: criar um mascote pro time, um animal que esteja extinto e tenha que ser clonado.

Todos os dodós estão extintos, então criamos um dodó zumbi.

Nossa próxima tarefa: pesquisar sobre o assunto do nosso debate (e contar muitas piadas).

De repente, o Jake falou de um assunto que não era nada engraçado.

Antes de ir embora, a gente prometeu que ia começar os discursos naquela noite. Se a gente começasse no mesmo dia, talvez fosse mais fácil.

Na segunda-feira, a campanha começou pra valer na escola. Os cartazes estavam em T-O-D-O L-U-G-A-R.

Eu: Os cartazes do Jake são ótimos.

Mo: Depois de todo o trabalho que tivemos, você acha que os dele são melhores?

Eu: Não! Eu adorei meus cartazes! Eles são bem melhores!

Mo: Você está estranha. Você já escreveu seu discurso? Já começou, pelo menos?

Eu: Ops, o sinal tocou. Vamos pra aula!

Nos anúncios matinais, a diretora Pingo disse MAIS UMA VEZ que a gente vai ter que discursar na frente de todos os alunos na segunda que vem. Bem que eu e o Jake podíamos fazer nosso discurso juntos.

Na aula de Ciências, ouvi a Cátia falando sobre o discurso com suas melhores amigas e pensando em como vencer a eleição.

Sofia: Vamos colocar um parquinho melhor na sua plataforma.

(Eu: O parquinho não precisa de plataforma. Precisa de brinquedos novos!) (Eu só pensei nisso, não disse nada.)

Cátia: Plataforma? O que é isso?

Sofia: São as ideologias que você tem como candidata.

(Eu, pra mim mesma: Peraí! ESSA IDEIA É MINHA! Os CÃES pensaram nisso há um tempão!)

Eu controlei minha raiva e disse com muita calma:

Bom, acho que comecei uma guerra.

Ahhh! Eu não queria brigar. Queria encontrar um problema melhor. Tipo, hum... pensei um pouco. NÃO EXISTEM OUTROS PROBLEMAS. Fiquei bem brava.

Que bela hora pra eu reparar no colar da Cátia.

Eu: Cátia, por que VOCÊ está com um colar escrito "Vote no Jake"?

Sofia: Ela não precisa explicar nada pra você. Melhor você ir cuidar do seu discurso.

Então, um braço me puxou.

Era a Mo.

Eu: Elas começaram!

Mo: Eu ouvi tudo. VOCÊ começou.

Eu: Elas roubaram minha ideia.

Mo: Você acha que você foi a única a notar que o parquinho está caindo aos pedaços? Eu percebi isso na pré-escola! Cadê seu discurso? Quero ler.

Eu peguei o discurso e praticamente joguei na mão dela.

Mo: Tá legal, acho que poderia ser mais convincente. Você escreveu "talvez" seis vezes. Não dá pra mudar isso pra você parecer mais confiante? E você não escreveu nenhuma vez que você quer que o público vote em você. Precisamos reescrever tudo.

Estou achando tudo isso uma grande encheção de saco. Quem se importa com o vencedor? O mais importante é descobrir por que a Cátia está usando aquele colar do Jake. Por que eu não ganhei um colar do Jake? Ele gosta de mim? Ele gosta mais da Cátia? Eu não planejei isso. Simplesmente deixei escapar:

— Acho que vou desistir da eleição.

Mo: Você está pensando em DESISTIR DA ELEIÇÃO? POR QUÊ? O que aconteceu? Seu discurso nem está tão ruim.

Eu: É difícil demais. Não gosto de discursar. Eu e o Jake temos muito o que estudar pro nosso debate.

Mo: E daí?

E daí o quê? Eu estava confusa. Eu não sabia o que dizer, então inventei o resto.

Eu: E eu quero vencer, mas estou sob muita pressão. Tem muita coisa acontecendo.

Mo: Continue.

Eu: Eu só... Eu... É que... Como você sabe quando alguém gosta de você?

Ela entendeu.

Mo: Eu sabia que não era só por causa da eleição. Você sabe que alguém gosta de você pela maneira como ele olha pra você, como ele age perto de você e pelas palavras que ele usa. Ouvi isso em uma música. Quem é? Você está a fim de quem?

Eu: Ninguém. Não é ninguém. Eu só estava pensando. Não era comigo.

Mo: Duvido. Ellie, isso é sério. Descubra se você quer mesmo desistir da eleição. Ligue pra mim hoje à noite. Não fique triste por isso. Vamos encontrar uma solução.

Eu: Tá bom.

Em casa, recebi uma mensagem do meu vô.

Em vez de dar a minha resposta sentimental de sempre, eu só disse "obrigada".

O telefone tocou. Era meu vô, querendo saber se estava tudo bem. Contei pra ele sobre o Jake e a Cátia e a Mo e meu discurso e toda essa pressão.

Vô: Você quer desistir da eleição? Ou quer continuar?

Eu: Eu já desisti do meu trabalho de editora--chefe. Acho melhor eu ficar na eleição mesmo.

Vô: Se você decidir continuar, <u>ganhe</u> a eleição.

Eu decidi me testar. Se eu conseguir reescrever meu discurso e criar algo bom hoje à noite, eu continuo concorrendo.

Que fome.

Tem uma mensagem no armário:

Vá para o porão.

Eu fui e encontrei isto:

Ha, ha. Muito engraçado, Josh. Sufrágio é o direito de votar! Essa palavra não tem nada a ver com sofrimento.

Então, reparei no Josh.

Fiquei um pouco surpresa.

Eu: O que é isso?
Josh: Precisa de ajuda com o discurso?
Eu: Preciso.
Josh: Chega mais.

O Josh sentou e fez um sinal pra eu sentar na outra cadeira. A gente reescreveu meu discurso todinho, ali mesmo. Lembrei de coisas legais dos meus rascunhos e acrescentei coisas novas que inventei, além de colocar algumas sugestões do Josh. Antes que eu percebesse, estava pronto.

Liguei pra Mo e li meu discurso pra ela. Ela também adorou. Parece que eu voltei pra corrida... pra GANHAR!

Muito confiante, convenci o Josh a me ajudar a fazer um monte de cartões dobrados pra colocar nas mesas do refeitório.

(e alguns serviam de cabana para os brinquedos do Ben-Ben)

De manhã, eu e a Mo corremos cedinho pra escola. Fomos pro refeitório escondidas e colocamos vários cartões nas mesas.

Na hora do almoço, corremos até o refeitório pra ver a reação dos outros. No começo, foi boa.

Eu: Acho que as pessoas gostam deles!
Mo: São ótimos...
Travis: Aviõezinhos de papel!

Eu ia dizer "quebra-gelo". De repente, o refeitório virou um aeródromo. Meus cartões são os aviõezinhos! E são os amigos do Jake que estão fazendo!

Dalton: A campanha da Ellie atingiu as alturas!

Eu desdobrei um aviãozinho pra ver como fazer. Aqui está o do Jake:

1.

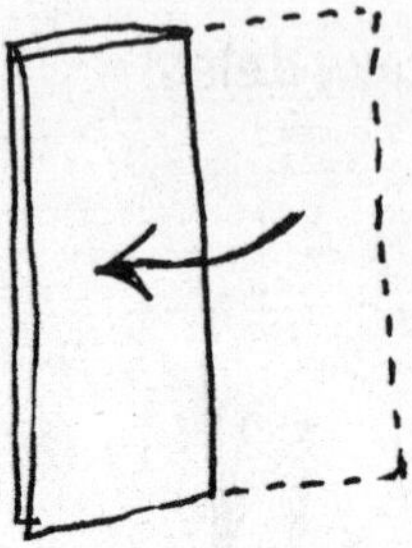

Dobre uma folha de papel ao meio e desdobre.

2.

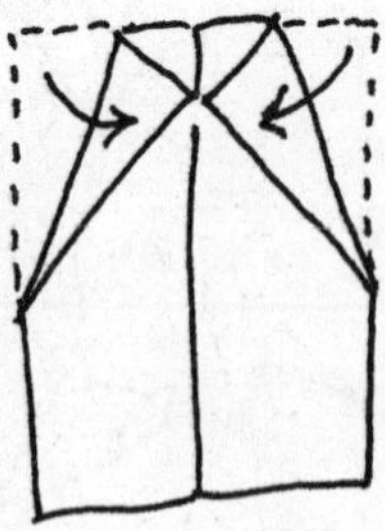

Dobre os cantos pra dentro até as pontas se encontrarem.

3.

Dobre a parte de cima pra baixo.

4.

Dobre a parte de cima pra baixo de novo.

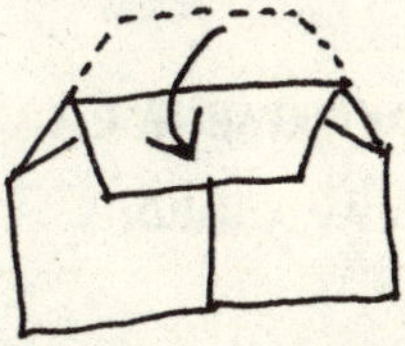

5. Dobre a parte de cima pra baixo mais uma vez.

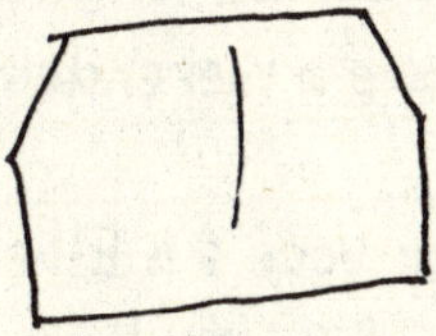

6. Vire.

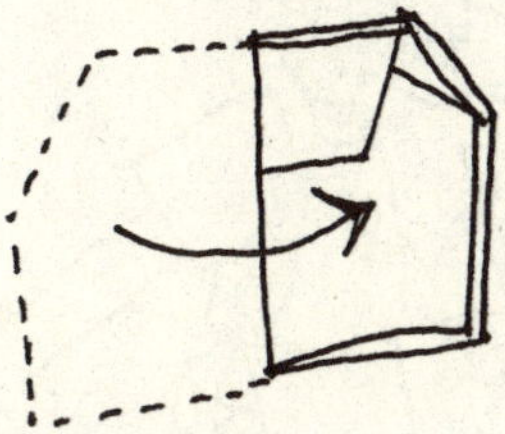

7. Dobre ao meio.

8. Dobre uma ponta pra baixo.

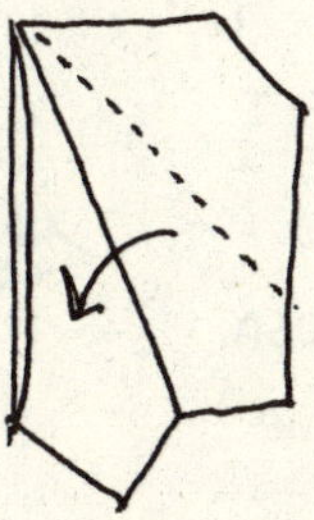

9. Dobre pra baixo de novo.

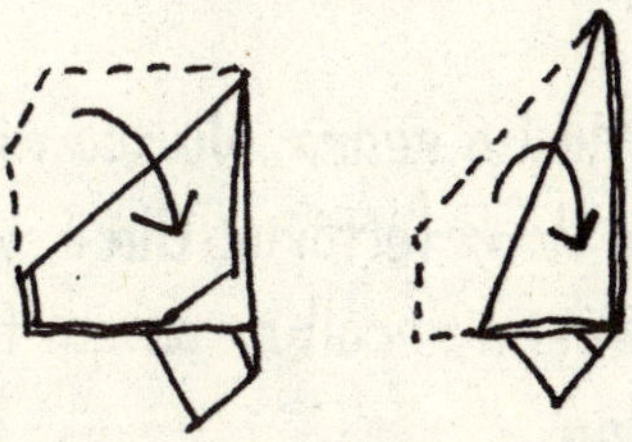

10. Vire e dobre o outro lado do mesmo jeito.

11. Vai ficar assim:

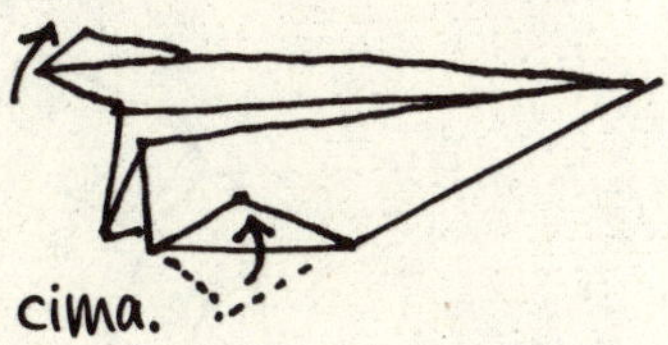

Dobre as pontas das asas pra cima.

É só jogar! Mire pra cima e jogue com força em algum alvo (mas não nas pessoas!).

Eu desdobrei um aviãozinho e arrumei meu cartão, e a merendeira pegou da minha mão.

Ela: Você é a Ellie?

Eu: Sim, senhora.

Ela: A Ellie deste cartão?

Eu: Sim, senhora.

Ela: Espero que você recolha os cartões do refeitório, um por um. AGORA.

Minha regra: Nunca discuta com a moça do refeitório. Ela é muito poderosa. Comecei a recolher os cartões. A Mo me ajudou.

O Jake também! E ele fez todos os outros ajudarem!

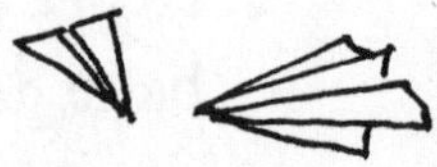

Eu não fiquei nem um pouco surpresa quando a diretora Pingo anunciou:

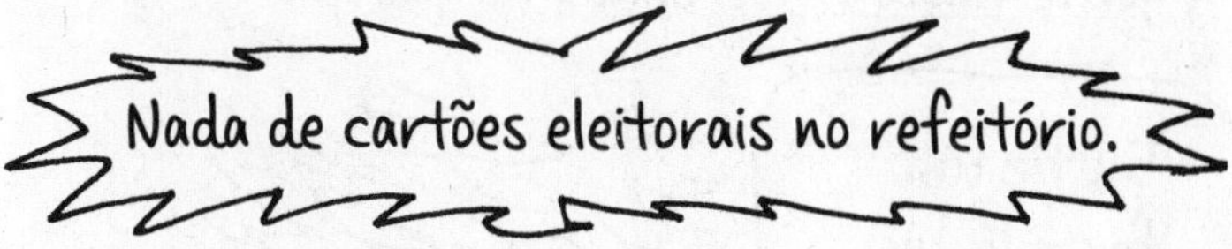

O Shane apontou pra mim e deu uma gargalhada em um tom altíssimo, fazendo a sala inteira rir, inclusive eu.

Assim que a diretora terminou de falar, o debate da nossa sala começou. A Cátia implorou pra professora Whittam deixar a gente ir primeiro (eu ficaria feliz se a gente fosse por último). Antes de a gente começar, eu e o Jake saímos da sala correndo pra vestir nosso uniforme especial:

O Shane se animou quando a gente voltou pra sala. Tenho que admitir, é legal ter o Shane do meu lado pelo menos uma vez. Os outros alunos também ficaram animados.

A Cátia estava usando o colar do Jake. Isso me deu mais vontade ainda de ganhar o debate.

A gente ganhou! Vida longa ao Dodó Zumbi!

Depois da aula, o Jake me levou pra casa. Minha casa é no caminho da casa dele.

A gente ficou conversando no quintal.

O Jake me deu um presente especial. Ele até colocou um X em cada olho!

Eu levava o Dodó Zumbi pra todo lugar. É claro que o Josh e a Lisa viviam me provocando. Eu nem reagi.

No dia seguinte na escola, ficou óbvio que a febre da campanha tinha atingido todos ao mesmo tempo. Que LOUCURA!

Eu distribuí etiquetas e desenhava o que as pessoas pediam.

O Shane distribuiu ofensas sob demanda:

O Jake distribuiu pulseiras de doces. Que esperto! Todas as meninas queriam uma.

Na hora do almoço, o Jake sentou do lado da Cátia! Tentei olhar pro outro lado. Eles estavam rindo muito alto. Peguei minha mochila algumas vezes pra fazer carinho no Dodó Zumbi que ganhei do Jake, só pra lembrar que não tinha sido um sonho.

Ontem o Jake me chamou de parceira. Acho que não sou especial. Talvez a gente seja só amigo. Limpei uma lágrima antes que ela caísse na minha comida.

Ryan: Ellie, não chore. Você só precisa de um empurrãozinho.

Depois da aula, eu não fiz um desenho pro jornal. Em vez disso, tirei meus cartazes da parede e coloquei outros no lugar. Eles tinham efeitos especiais:

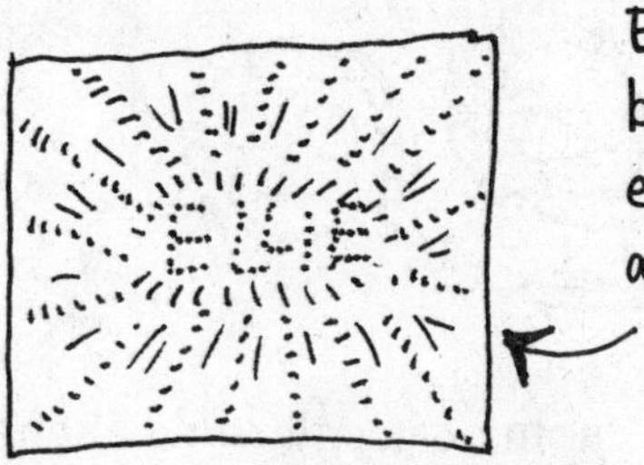

Este aqui tem palavras brilhantes e um fundo estilizado com luzes movidas a pilha.

Se você olhar por bastante tempo, parece que o desenho se mexe.

Este tem a frase "Voe alto com a Ellie!" e as borboletas batem as asas quando alguém passa perto delas.

Na sexta-feira, a escola estava um caos ainda maior.

O cartaz camuflado do Shane é igualzinho aos tijolos. Está escrito com letras bem pequenas: "Vote no Shane, ou então você é um bobo na escola dos bobos."

Todos os amigos da Cátia estavam usando camisetas iguais e distribuindo dezenas de lápis da campanha.

Os amigos do Shane tinham coroas da Estátua da Liberdade.

Todas as meninas estavam usando colares do Jake.

Eu distribuí os caderninhos que fiz ontem à noite.

Eu não entreguei pro Jake porque ele não me deu o colar da campanha dele.

Essa é a melhor cara de irritada que sei fazer.

Toda essa campanha estava uma loucura. A coisa estava ficando feia. Algumas pessoas eram competitivas demais e rabiscavam cartazes.

É muito provável que tenha sido o Shane.

As amigas da Cátia nem sempre são gente boa.

Tentei ignorar as meninas. Também tentei evitar o Jake. Mesmo assim, levo meu Dodó Zumbi pra todo lugar, pra lembrar dos tempos felizes em que eu achava que o Jake gostava de mim.

Na hora do almoço, todos estavam falando do jornal.

Nossa, a Cátia falou bem de mim!

Quando eu vi o Jake, dei o melhor sorriso que pude. Ele sorriu de volta, mas depois foi conversar com outras meninas, em especial a Cátia.

Decidi que não dava mais pra aguentar. Eu queria mostrar pro Jake que eu sou DIVERTIDA. Então, sempre que eu via um dos CÃES, fazia uma saudação toda alegre.

E eu também dava uma gargalhada bem alta e demorada toda vez que eu ouvia, inventava ou pensava em uma piada.

O tiro saiu pela culatra. No fim do dia, <u>todos</u> estavam agindo de maneira exagerada, igual a mim.

O Jake disse que isso era bizarro.

Que ótima ideia, Ellie.

Como vou fazer o Jake reparar em mim? Eu podia simplesmente ir pra casa, mas preferi sentar e refletir.

O Jake me achou.

Eu arrisquei.

Eu gostei de ficar sentada com o Jake. Eu queria conversar mais. Queria perguntar sobre a Cátia. COMO SOU MEDROSA! Já me arrisquei o suficiente falando da grama. Chega de riscos por hoje.

Sábado de manhã, fui pra biblioteca. A senhora Claire me emprestou mais livros! Eu estava lendo quando, de repente...

O Jake e eu rimos, talvez alto demais. Todos olharam pra gente. Ha ha ha ha ha!

Jake: O que você está fazendo aqui?

Eu: Estou lendo sobre dois irmãos que fugiram de casa e foram morar em um museu. O que VOCÊ está fazendo aqui?

Jake: Eu vim pegar um livro sobre um assunto pra fazer uma surpresa pra uma pessoa.

Hum. Poderia ser um presente pra Cátia. Será que eu deveria ajudá-lo? Eu gostaria que o Jake fosse um grande amigo, se ele não pudesse ser meu namorado.

Eu: Posso ajudar, se você quiser.

Jake: É sobre borboletas.

Eu: Ah! Conheço um campo com gazilhões de borboletas!

Jake: Quero ver!

No caminho da floresta, comparamos nossos gostos. Eu decorei tudinho.

Cor preferida:

Jake: Verde-azulado.

Eu: Azul-esverdeado!

A mesma coisa!

Viagem de férias preferida:

Jake: Acampamento!

Eu: Acampamento também!

Animal preferido:

Jake: Macaco.

Eu: Dodó Zumbi!

O Jake mudou o animal preferido dele pra Dodó Zumbi também.

Chegamos até a clareira da floresta.

Foi mágico.

Então conversamos enquanto um cazilhão de borboletas sobrevoava a gente. O professor Z sempre dizia: "Diga o mais importante primeiro".

Criei coragem e perguntei pra ele se ele gostava da Cátia.

Por algum motivo, ele começou a dar gargalhadas.

Acontece que...
a Cátia é PRIMA dele!

Demorei um minuto pra processar a informação.

Jake: Pensei que a cidade inteira soubesse. Por que você achou que eu gostava dela?

Eu: Ela usou seu colar o dia inteiro!

Jake: Isso não quer dizer nada! Ela perdeu uma brincadeira que fizemos em uma reunião de família. A punição dela é usar o colar da minha campanha.

Eu: Ah.

Eu: Por que você não me deu um colar da sua campanha?

Jake: Porque acabou.

Eu: Ah.

Jake: Por que você não me deu um caderninho?

Eu: Achei que você não quisesse.

Eu não queria que ele visse como eu me senti feliz/envergonhada/boba/estranha. Então, mudei de assunto.

Qual sua comida preferida?

Nós dois dissemos pizza.

Segunda-feira, saí de casa bem na hora em que o Jake passou. Que coincidência.

E ele me deu isto!!!

Jake: Eu fiz pra você, já que vamos discursar hoje. Abra!

Demorei um pouco pra descobrir como abria.

Era uma borboleta de papel que se desdobra.

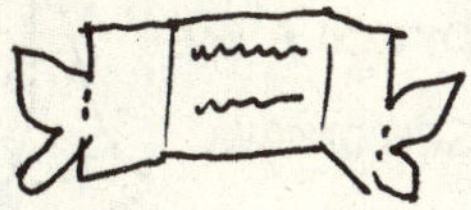

lado de fora

Dentro, estava escrito:

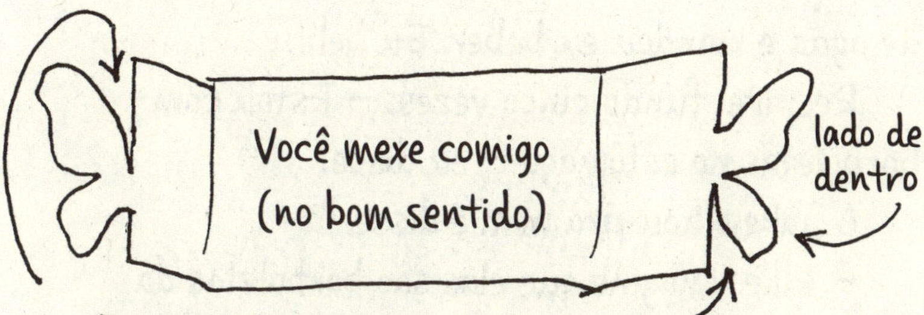

Essas partes encaixam uma na outra.

Nós dois rimos. Com o colar, eu ia ficar bem mais confiante pro discurso.

Mas eu não fiquei confiante.

Aquele colar lindo de borboleta não me protegeu de todo o nervosismo. Faltavam dois minutos pro discurso, e eu estava tremendo. O Jake e a Cátia já discursaram e não desmaiaram, mas eu não podia prometer que ia conseguir ficar em pé.

A Cátia e o Jake seguraram no meu braço e me sentaram em uma cadeira. A Cátia me deu uma garrafa de água e mandou eu beber. Eu bebi.

Respirei fundo cinco vezes. — Estou com borboletas no estômago — eu disse.

O Jake olhou pra mim e disse:

— Ellie, imagine que elas são borboletas da floresta. Elas querem que você faça um discurso bom. Todos queremos.

Eu devia ter praticado mais, pra não ficar com tanto medo. A Mo me ligou três vezes no fim de semana pra perguntar se eu precisava ensaiar ou decorar meu discurso. Eu sempre falava que estava muito ocupada. E era meio que verdade, eu estava muito ocupada curtindo a vida com o Jake, desenhando o Jake ou pensando no Jake.

Chegou a hora. A Mo estava na plateia, então ela não podia me ajudar. A responsabilidade era toda minha. Eu subi no palco e...

... fiz o MELHOR DISCURSO DA MINHA VIDA!!!

De manhã, o Josh tinha me falado pra arrasar no palco, e foi o que eu fiz.

A Lisa tinha falado pra eu usar minha camiseta preferida, e eu usei.

Minha mãe sugeriu que eu usasse meus talentos especiais, e fiz parte do discurso com desenhos.

O professor Z falou pra dizer o mais importante primeiro, e eu fiz isso.

A Mo disse pra eu ser honesta, e eu fui.

O Jake foi a inspiração pra eu me arriscar. Meu discurso era muito diferente dos outros.

— Não pare até ouvir o assobio — meu pai disse. No começo, eu achei que ele tinha falado pra eu continuar falando até alguém me expulsar do palco. Na verdade, ele quis dizer que, mesmo se alguém jogar um tomate, mesmo se eu falar errado, não posso parar. Não posso desistir.

As borboletas voltaram, mas eu não parei.

O Travis disse pra eu ser engraçada. A Yasmin falou pra eu ser objetiva. O Dalton sugeriu que eu usasse palavras chamativas. A Sitka me disse pra levar amuletos da sorte.

Eu fiz tudo isso, e funcionou perfeitamente.

Depois do discurso, recebi uma avalanche de abraços.

Meus pais e avós me convidaram pra almoçar fora, mas eu preferi comer com meus amigos. Então, eles também ficaram lá. O mais estranho foi que eles agiram naturalmente e não me fizeram passar vergonha. (O responsável por me atormentar e envergonhar, o Josh, não estava lá.)

Minha mãe disse que todos fizeram um discurso bom. Ela até gostou do discurso do Shane:

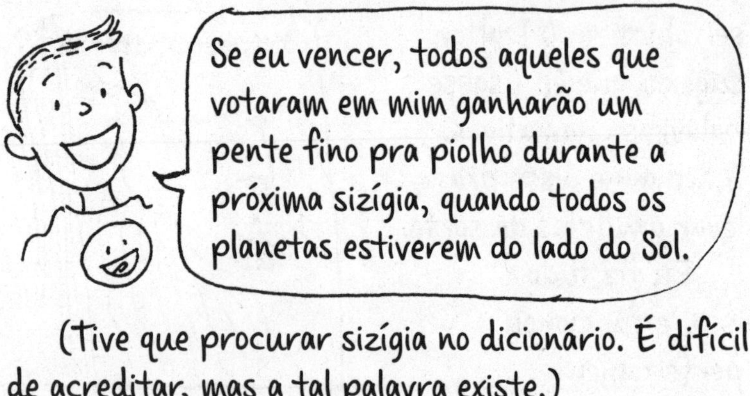

(Tive que procurar sizígia no dicionário. É difícil de acreditar, mas a tal palavra existe.)

A merendeira fez uma comida nova. Era dia de *bentō*! Ela colocou uma colher de quinoa e um sushi no nosso prato. Colocamos queijo ralado, pedaços de frutas e de legumes no prato pra tirar uma foto. Arte com comida!

É, a gente tem almoço de rei aqui na escola.

Depois do almoço, a Yasmin mostrou uma coisa pra gente.

Como fazer uma dobradura de borboleta de papel:

1. 

Comece com um papel quadrado.

2. 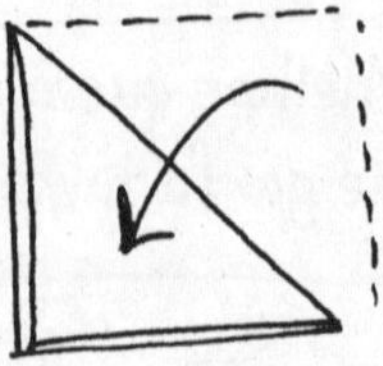

Dobre ao meio formando um triângulo.

3. 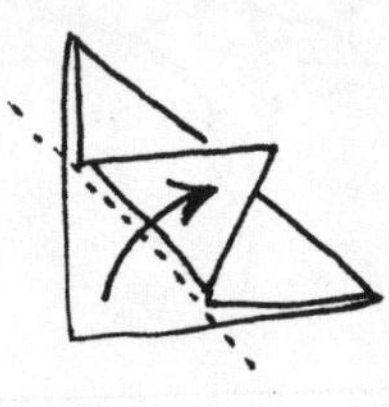

Dobre uma extremidade de forma que a ponta fique pra fora.

4. 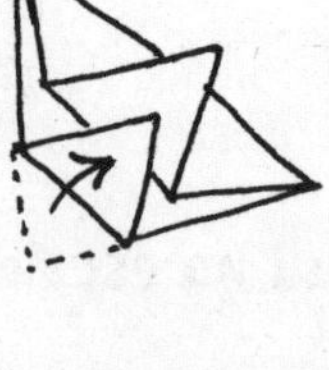

Dobre a outra extremidade por cima, um pouco mais embaixo.

5A. Dobre ao meio.

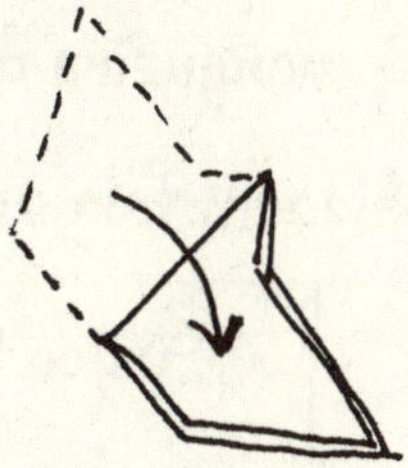

5B. Desdobre.

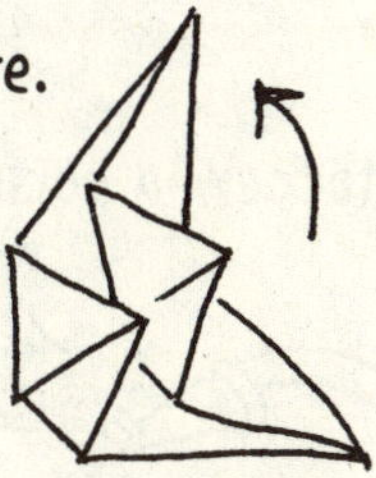

6. Vire.

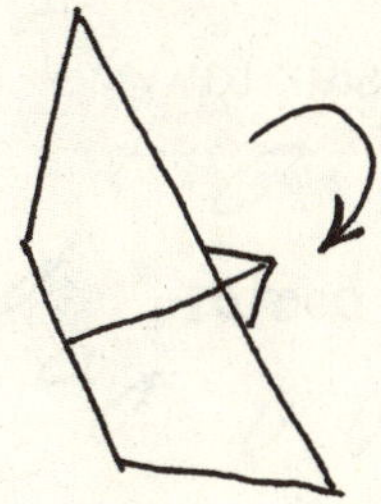

7. Dobre uma asa.
Desdobre.

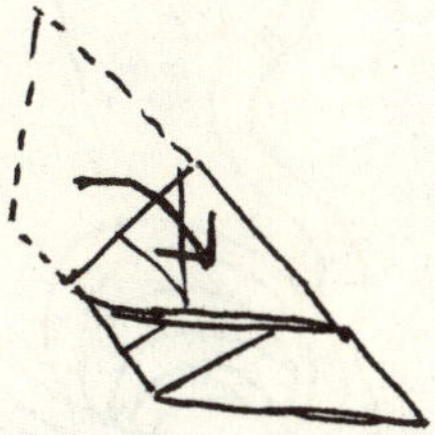

8. Dobre a outra
asa por cima.
Desdobre.

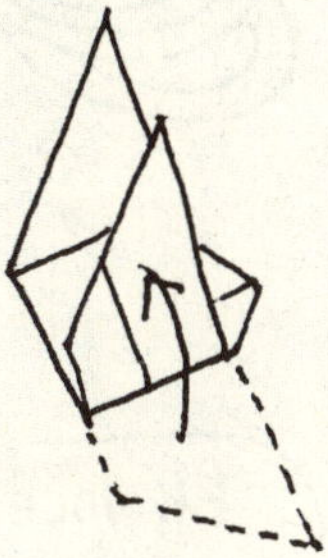

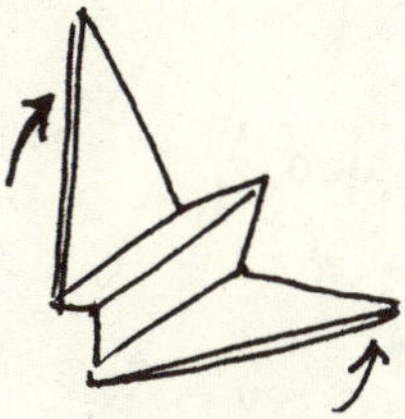

9. Puxe as
duas asas
um pouco
pra cima.

10. Enfeite.

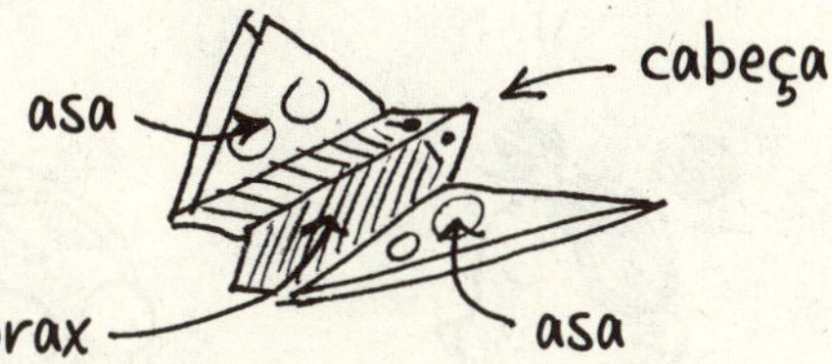

Elas não voam muito bem. (A gente tentou.) Mas elas são muito legais! Eu fiz algumas e dei pro Jake. E foi aí que a bagunça começou.

A mangueira dos boatos começou a espirrar.

Alguém fala uma coisa.

Eu ouvi dizer que você está saindo com o Jake.
Saindo? Defina saindo.
E alguém falou que você nem quer ganhar. Você só está participando das eleições pra Cátia perder votos.
E me falaram que ele deu um anel pra você.
NÃO.
Não. Claro que não. Eu quero ganhar!
E o Shane também não quer ganhar. Ele só está tentando convencer os meninos a votarem no Jake.
Ah, eu...
E isso significa que você, o Jake e o Shane não passam de um supercandidato trapaceando contra a Cátia.
Uau.

Tentei explicar. Acho que isso não ajudou muito. Quer dizer, a Mo acreditou em mim. E os CÃES também. Mas e o resto da escola? Acho que eles não vão acreditar.

Tenho que fazer duas coisas. Primeiro: falar com a Cátia assim que a aula acabar.

Eu estava assustada, mas contei toda a verdade pra ela. É TÃO estranho dizer em voz alta que gosto do Jake.

Minhas bochechas estavam vermelhas. Eu mal conseguia olhar nos olhos dela. Eu estava com dor nas mãos de tanto apertar e puxar os dedos várias vezes.

As mentiras que contaram sobre mim eram horríveis. Eu tinha vergonha de falar a verdade.

Mesmo assim, tive que ser sincera. A Cátia precisava saber que eu queria ganhar a eleição sem trapacear.

No fim das contas, ela também tinha ouvido os boatos. Ela estava com medo de que fossem verdade. Agora, está tudo bem. Ela acredita em mim.

Mas ainda não terminei. Preciso encontrar o Jake.

Só que o Jake já tinha ido pra casa. E eu não sabia o telefone nem o endereço dele. Tentei enviar mensagem, mas ele me ignorou.

Foi terrível. Fui dormir mais cedo, mas não dormi. Fiquei deitada quase a noite toda com dor de estômago.

Terça-feira, fiquei na janela pra ver o Jake passar na frente da minha casa.

Ele não passou.

Então, eu decidi correr até a escola.

Cheguei atrasada pra aula de Inglês, e todos olharam pra mim. Acho que o boato deve ter se espalhado mais.

A Cátia me cumprimentou. Na verdade, ela deu um grito.

O Jake não estava na sala.

Tudo estava girando na minha cabeça. De repente, ouvi alguém dizer meu nome na frente da sala. Eu não queria levantar, mas tive.

Com poucas frases, a Cátia conseguiu limpar meu nome. Foi impressionante.

O boato se espalhou logo. Parecia que ninguém mais me odiava. Mas e o Jake, onde ele estava?

Perguntei pro Shane.

Carácolis. Será que o Shane estava certo? Como posso consertar as coisas?

Na aula de Inglês, só consegui pensar nisso. Os outros alunos estavam votando pra descobrir a palavra com o som mais feio da língua inglesa (candidatas: *moist*, *curdled*, *bulge*, *puke*, *uncle*, *fungus* e *fetid*).

A vencedora foi *fetid*, que significa fedorento. Num dia normal, eu ia adorar a brincadeira.

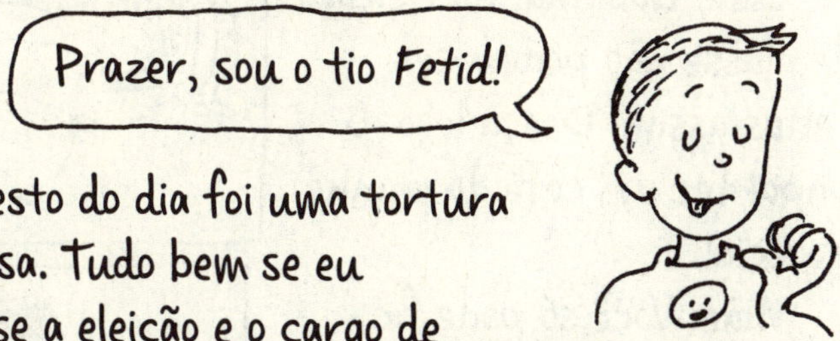

O resto do dia foi uma tortura silenciosa. Tudo bem se eu perdesse a eleição e o cargo de editora-chefe. Mas eu não podia perder a amizade do Jake. Ia doer demais.

A Mo me levou pra casa.

Eu me arrastei até o quarto e deitei na cama. Minha vida era uma música com a letra mais triste do mundo. A melodia era uma droga e não saía da cabeça, então todos aprendiam rápido e inventavam uma dança que se espalhava como um vírus.

Blé. Por falar em vírus, acho que vou vomitar.

Na quarta-feira, eu não queria levantar. A Lisa me arrancou da cama puxando meus pés e adorou isso.

Eu: Vá embora.

Lisa: A eleição é hoje!

Eu: Vou votar por correspondência.

Lisa: Bobinha. As eleições de classe não podem ser feitas assim. Desça logo. O papai fez um café da manhã especial.

Mãe: Você só pode ficar em casa se estiver doente.

Acho que dor no coração não é considerada uma doença. Eu estava tão TRISTE que não conseguia suportar.

De repente, alguém bateu à porta. Era o JAKE!!!

Eu queria dar um abraço nele, mas eu resisti. A Lisa usou um bolinho pra convencer o Jake a entrar.

Jake: Eu estava em casa, doente. O Shane me contou o que ele disse pra você, então eu queria conversar com você antes da aula.

Eu: Eu não inventei aqueles boatos.

Jake: Eu sei. Não sei se adianta, mas falei pro Shane que ele estava errado. Nossa amizade não me envergonha.

Eu: Ah.

Jake: Na verdade, eu gosto de você mais do que como amiga.

Eu: ...

Na hora, eu não consegui falar nada. Um sentimento poderoso surgiu dentro de mim, e eu não sabia O QUE dizer. Então, eu solucei.

Minha mãe pegou um copo de água pra mim.

A gente avançou nos bolinhos do meu pai (era o segundo café da manhã do Jake) enquanto minha família fazia uma coreografia animada:

Vai, Ellie! Ganhe a eleição!

Leve sua escola pra uma nova direção!

Jake, avante!

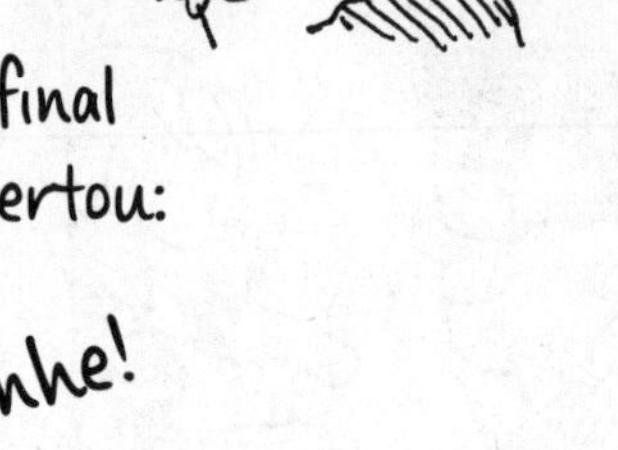

Deu pra perceber que o final foi improvisado. O Josh consertou:

Se a Ellie não ganhar,

queremos que você ganhe!

O Jake e eu fomos pra escola praticando marcha atlética, pra chegar na hora (e também porque a gente acha esse esporte muito engraçado).

Na escola, parecia que mil clones eletrônicos do Ben-Ben estavam correndo por todo lugar. A febre das eleições tinha se espalhado. Ouvi a professora Whittam cantarolando com a diretora Pingo: "Hoje é o último dia. Hoje é o último dia. Hoje é o último dia."

Acho que todos ficamos felizes por isso.

Hoje eu não precisei fazer nenhum discurso nem escrever redações ou acabar com boatos. Eu só precisava prestar atenção na aula, votar no fim do dia e comemorar que as coisas parecem sempre dar certo no final. (Por que será que não lembro disso com mais frequência?)

Na hora do almoço, o Jake sentou do meu lado. A gente não participou muito da conversa. A gente não queria chamar atenção, mas acho que vou lembrar desse dia pra sempre, porque

(a gente estava de mãos dadas por baixo da mesa).

Na aula de Ciências, fizemos montanhas-russas de espuma e fita adesiva. Usamos bolinhas de gude pra testar a fricção, a velocidade e a potência. A Mo me empurrou pra perto do corredor.

Eu: Eu fiquei preocupada, achei que você gostava do Jake também. Você sorri muito perto dele.

Mo: Eu gostava.

Eu: Ah, não!

Mo: Um pouquinho. Mas você gostou dele primeiro, então ele é todo seu. E, com certeza, ele gosta de você.

Eu: Você é a melhor amiga do mundo.

Mo: Ellie, eu só quis que você se candidatasse porque você é uma pessoa boa que tem ótimas ideias. VOCÊ é a melhor amiga do mundo.

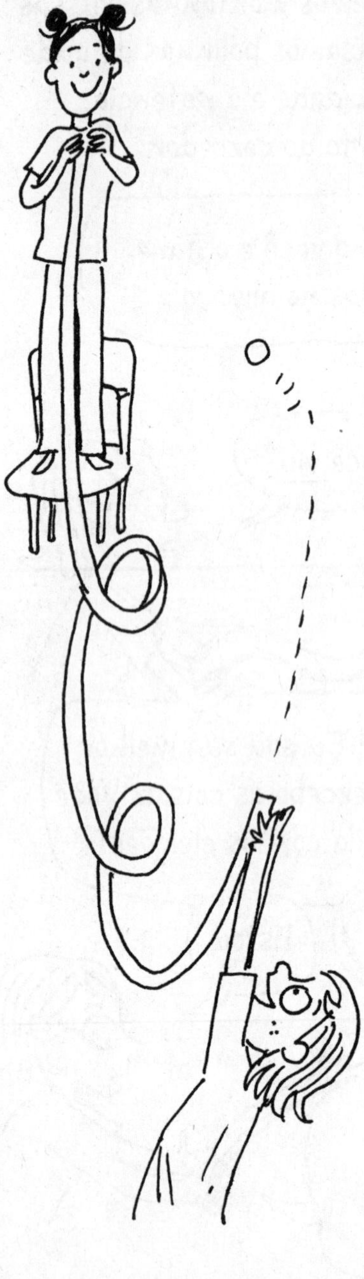

Então, o professor Brendall chamou os alunos pra votarem.

No auditório, havia cinco cabines de votação. O professor Brendall disse que elas tinham sido usadas nas eleições oficiais.

Eu sabia exatamente como votar. Pensei com muito cuidado. Eu já ia marcar minha escolha, mas comecei a pensar demais e mudei de ideia no último segundo e... votei no Jake.

Espero que ele tenha votado em mim. Seria o equilíbrio perfeito.

Quando terminei de votar, fui até o corredor pra esperar os outros alunos acabarem.

Shane: Estou fazendo uma pesquisa de votação. Em quem você votou?

Eu: O voto é secreto! Não vou falar! E esse cartaz é nojento.

Os professores vão contar os votos hoje à noite. Amanhã, vamos saber quem ganhou.

Eu: Vocês estão ansiosos pra ver o resultado?

Cátia: Não adianta nada ficar nervoso, já foi decidido. Não podemos mudar nada.

Shane: Eu estou ansioso por não saber um motivo pra ficar ansioso!

Jake: Eu só queria dizer que foi divertido concorrer com vocês pra presidente de classe e que estou feliz por ainda sermos amigos.

Eu: É, vamos fazer isso todo ano. Rá!

Cátia: A gente deveria guardar nossos cartazes. Assim, vai ser mais fácil.

Eu: Vamos guardar os lápis da Cátia e as pulseiras de doce do Jake também.

Então, fomos pra casa rindo, pensando em como os lápis estariam pequenos e as pulseiras estariam nojentas em um ano.

O dia seguinte foi quinta-feira, ou seja, dia de revelar os resultados. Ainda bem que a diretora Pingo revelou os resultados logo de manhã.

A Mo me abraçou. Os CÃES se aproximaram de mim. Acho que queriam ver se eu estava bem, mas eu não estava triste.

Eu não queria vencer mesmo.

O Shane gritou do outro lado da sala:
– Que injusto! Eu votei em você, cara!

Todos riram.
O Jake disse:
– Eu também votei em mim!
Todos riram de novo.
Todos, menos eu.

O Jake não votou em mim.

Eu votei no Jake, mas ele não votou em mim.

Eu: É que... eu votei... eu votei no Jake. Achei que ele fosse votar em mim.

Mo: Você não votou em você mesma? Por quê? Você não achava que você era uma boa candidata?

Eu: Achei, não, é que... eu...

Mo: Você sabe o que isso quer dizer, né? A gente não sabe quem ficou em segundo lugar. Pode ter sido você. Isso significa que, se você tivesse votado em você mesma, você teria empatado com a Cátia. E a gente teria feito o segundo turno e você poderia ter ganhado.

Carácolis.

Mo: Por que você não votou em você mesma?

Eu: Eu achei que seria egoísmo da minha parte.

Mo: Não é egoísmo. É autoconfiança. Não tem nada de errado em votar em si mesma! É uma boa ideia quando você acredita que você é a melhor candidata!

A Mo agiu como a Princesa do Óbvio, mas acho que eu precisava ouvir aquilo.

Eu: Nossa. Como eu pude ser tão boba?
Mo: Você não é boba.

Mo: O que você me diria se isso acontecesse comigo e não com você?
Eu: Eu diria: "Deixa quieto. Qual a melhor coisa que a gente pode fazer agora?"
Mo: Siga seu próprio conselho, Ellie. O que você pode fazer?

Hum...

Encontrei o professor Z. A aula dele também estava um caos. Aposto que a escola inteira está assim.

Eu: Professor Z, eu perdi a eleição. Posso voltar pro meu antigo cargo?

Ele: É uma pena que você tenha perdido. Mas é uma MARAVILHA ter você de volta como editora-chefe! Quer começar segunda-feira?

Eu: Eu prefiro começar agora. Temos um jornal pra publicar amanhã! Posso entrevistar a Cátia.

Ele: Acho que fizemos um bom trabalho depois que você saiu, mas não foi fácil. Substituir você é uma responsabilidade e tanto.

Fiquei muito contente.

Quando eu estava voltando pra aula, ouvi o anúncio da diretora Pingo:

Parabéns a todos os candidatos. Em uma corrida, alguém vence pela velocidade, mas pode haver muitos vencedores no espírito esportivo. Agora, com a palavra, a presidente do sétimo ano.

Ouvi a voz da Cátia. Ela agradeceu à diretora Pingo e se apresentou. Ela me surpreendeu com isto:

Obrigada. Os meus adversários Ellie, Jake e Shane estão convidados a participar da minha equipe. Quero ouvir suas ótimas ideias.

Quando as coisas ficaram mais calmas, perguntei pra Cátia se ela aceitava ser entrevistada.

Perguntei pra Cátia o que ela faria como presidente de classe. Adorei as respostas dela!

Eu: Qual sua primeira meta como presidente?

Cátia: Quero unir as pessoas. Quero que todos voltem a ser amigos. Alguns alunos levaram a campanha pro lado negativo. Quero que todos lembrem das coisas boas, não das ruins.

Eu: Como você pretende unir as pessoas?

Cátia: Vou fazer com que todos tenham os mesmos objetivos, um parquinho novo. É caro, mas é possível juntar dinheiro pra isso. Vamos criar a Corrida das Moedinhas, e a classe que conseguir mais moedas ganhará uma festa cheia de pizzas. Podemos vender materiais recicláveis e fazer o maior brechó de garagem da cidade. Podemos fazer um sebo, pra vender livros usados. Tenho um zilhão de ideias!

Além disso, os meus adversários, assim como VOCÊ, têm ideias ótimas. Juntos, podemos fazer muita coisa.

Eu: A melhor candidata venceu a eleição.

Cátia: Oh, obrigada, Ellie!

Isso vai dar um artigo perfeito pro Rugido do Leão. Sinto que sou amiga de uma futura senadora.

Depois da aula, montamos o jornal. O Jake não estava muito animado.

Jake: Você perdeu a eleição. Por que você está fazendo um artigo sobre a vencedora e ainda está feliz?

Eu: Sou editora-chefe de novo!

Jake: Seu pai é técnico. Você não tem que vencer a qualquer custo?

Eu: Ninguém vence sempre.

Jake: Não sei, não. A Cátia vence quase sempre.

Eu: Ela vai ser uma ótima presidente de classe.

Jake: Ela quer que eu faça uma cápsula do tempo pra gente abrir quando se formar.

Eu: Imagine como a gente vai ser grande no ano da formatura. A gente vai pra faculdade, vai saber DIRIGIR! Ah, coloque um aviãozinho de papel na cápsula!

Jake: E uma dobradura de borboleta também.

O humor do Jake melhorou um pouco.

O primeiro espaço publicado foi:

Para E.
Achei que um de nós fosse ganhar.
Espero que você tenha um ótimo fim de semana.
De J.

Terminamos o jornal e enviamos para impressão. O professor Z reuniu os alunos em círculo e disse:

Depois ele gritou:

— Frutavilhoso!

Todos rimos e repetimos bem alto:

— FRUTAVILHOSO!

Alguém ia ter que me trazer de volta, porque eu estava me sentindo nas nuvens!

Perguntei ao professor Z se eu podia imprimir três cópias extras do jornal, pro meu vô, pra senadora Shepard e pra cápsula do tempo do Jake.

Depois de tudo pronto, o Jake me levou pra casa. Na varanda da minha casa, ele me deu o endereço dele e perguntou se a gente podia se encontrar às 19h na casa dele. Ele não disse o motivo. Claro que eu aceitei.

A gente se despediu e eu entrei em casa.

Toda a minha família estava me esperando pra saber sobre a eleição. Eu disse que perdi. Eles mostraram o espírito esportivo deles.

Eu só percebi o quanto eu queria aquele cargo na hora em que o perdi! Eu teria sido uma boa presidente de classe, mas a Cátia vai ser melhor que eu. E eu vou ser uma editora-chefe FRUTAVILHOSA!

Na hora do jantar, o Ben-Ben me deu beijos de borboleta.

Ele abriu e fechou os olhos, encostando os cílios na minha bochecha. Que fofo!

Todos estavam sendo MUITO legais comigo. Mais legais que antes. Finalmente consegui explicar que eu não estava triste com a derrota. Então, eles começaram a fazer brincadeiras comigo, como sempre.

Às 18h55, fiz marcha atlética até a casa do Jake.

Eu abri o presente. Era um diário!

Ele se desenhou na primeira página, porque ele disse que queria estar no meu diário desde o começo.

Então, ele me deu um beijo na bochecha.

Fim.

AGRADECIMENTOS

Obrigada a estes e a todos os outros que ajudaram a Ellie durante a campanha:

Minha enorme e linda família, Jim McNally, Joan Mannino, Carol Roszka, Diane Allen, Dave Brigham, Brenda White, Diane Pendell, Peggy e Hugh McNichol, Shari Sweeney, a ótima equipe da Bloomsbury, meu agente, Erin Murphy, e minhas editoras, Laura Whitaker, Caroline Abbey e Melanie Cecka.

Um bom diário pode ajudar você a sobreviver a uma nova escola, um novo animal de estimação, um novo esporte e muito mais!

Leia toda a série!

Ciranda Cultural